我戴眼镜了

乐凡/著　段张取艺/绘

电子工业出版社·

Publishing House of Electronics Industry

北京·BEIJING

涂涂最喜欢跟大人对着干。

妈妈说："涂涂，多吃点蔬菜瓜果！它们含有丰富的维生素，可以保护视力哦！"

涂涂却说："世界上最难吃的东西，第一名是胡萝卜，第二名是南瓜，第三名是玉米。"

饭桌上，他的筷子从来不会光顾这些菜。

爸爸说："涂涂，不要老是看电视，会影响视力哦！"

可涂涂总是一集接着一集地看动画片。爸爸一去关电视机，他就大吵大闹。

爷爷说："涂涂呀，别老待在家里玩iPad，出去活动活动，让眼睛休息休息。"

可涂涂说："我不要出去玩，出去玩真无聊！"他抱着 iPad 不放，如痴如醉地玩着线上游戏。

晚上睡觉前，奶奶说："涂涂呀，
不要躺着看书，早点睡觉。"

可涂涂东倒西歪地躺在床上，
就把漫画书放在眼前，目不转睛地
看得忘记了去睡觉。

课间做眼保健操时，老师说："涂涂，不要开小差，请认真做眼保健操！"

可是淘气的涂涂一会儿睁开眼睛
去扯扯同桌的辫子，一会儿又去玩玩
他新买的全自动卷笔刀。

在一次美术课上，涂涂发现老师在黑板上画的小兔子好像变模糊了。他使劲儿揉了揉眼睛，然后瞪大眼睛看，可是小兔子还是有重影；他又眯起眼睛，用力地盯着黑板看，小兔子才稍微清楚了一点儿。

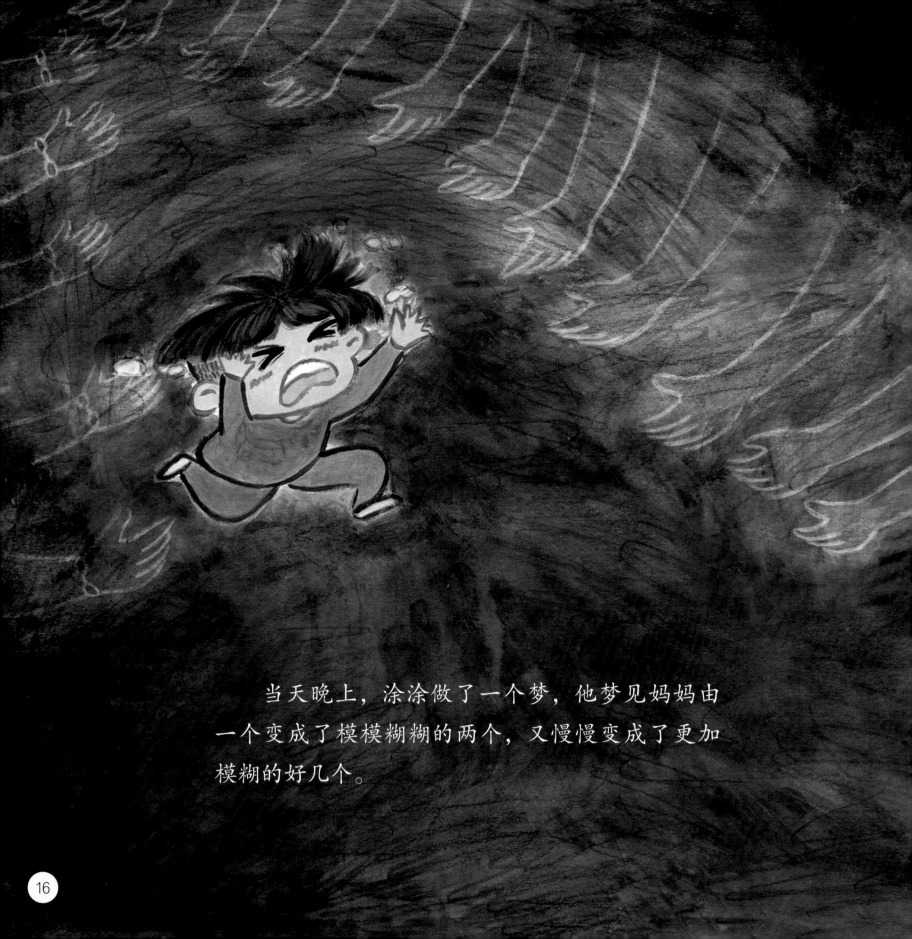

当天晚上，涂涂做了一个梦，他梦见妈妈由一个变成了模模糊糊的两个，又慢慢变成了更加模糊的好几个。

他跑过去，想要抱妈妈，可是扑了个空。妈妈消失了！四周一片漆黑，他什么也看不见了。

"呜哇，妈妈，妈妈！"涂涂大哭了起来。

"涂涂，涂涂，快醒醒！你在做噩梦吗？"妈妈
喊醒了他。

"妈妈……"涂涂哭着说，"我的眼睛看不清楚了。"

第二天，妈妈带涂涂去了医院。

医生仔细检查了涂涂的眼睛，然后说："小朋友，你的眼睛近视了哦，需要戴眼镜进行矫正。但也不用害怕，只要你以后养成良好的用眼习惯，就可以有效地控制近视度数的加深。"

戴上眼镜的涂涂回到家，心情很糟糕。
他趴在桌子上，一句话都不想说。

爸爸走过来拍拍他的头说："嘿，我的小魔法师！"
"小魔法师？！"
"是呀，你看，你戴上这副眼镜像不像魔法师哈利·波特？"
爸爸指着书上的一张哈利·波特的图片对他说。
"咦，还真像呢！"涂涂的心情好了很多。

回到学校，同学们看到戴着眼镜的涂涂，都很好奇，纷纷围了过来。

"涂涂，你怎么了？"

"涂涂，你眼睛上面戴的是什么呀？"

涂涂大声说："我是一个厉害的魔法师！"

"不过，等过一阵子，我就不当魔法师了！"涂涂补充道。

　　自从当上了"魔法师"，涂涂开始学着保护眼睛。

　　饭桌上，他会主动吃蔬菜！

　　以前看动画片的时间，现在他用在和爸爸一起打乒乓球上。

　　周末，他也不再盯着手中的 iPad 了，而是去户外和小朋友们玩游戏。

　　看书、做作业的时候，他会坐到书桌旁，把背挺得直直的，眼睛距离书本至少有 30 厘米远。

　　看书超过了 40 分钟，他就会跑到阳台去望望远，顺着家旁边公园里的树林，他可以一直看到湖那边的摩天轮。

　　课间做眼保健操的时候，他也不再搞恶作剧了，而是好好地按摩自己的眼睛。

每天晚上，涂涂不再把书和 iPad 带上床，而且9点之前就会带着他的"机器超人"去睡觉。他和"机器超人"静静地躺着，慢慢地进入甜甜的梦乡。

一天晚上，涂涂又做了一个梦。

他梦见自己不再是魔法师了，而是变成了神射手罗宾汉，所有敌人都逃不过他锐利的眼睛和手中的弓箭！

视觉的形成

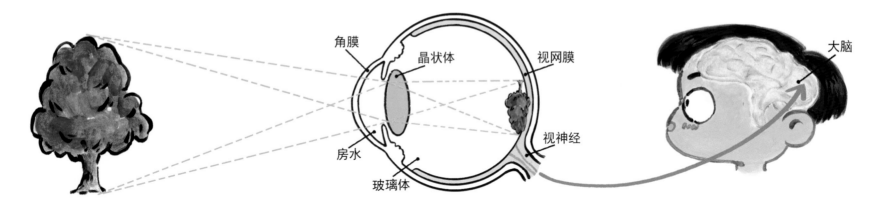

光线→角膜→房水→晶状体（折射光线）→玻璃体（支撑、固定眼球）→视网膜（形成物像）→视神经（传导视觉信息）→大脑视觉中枢（形成视觉）

近视形成的原理

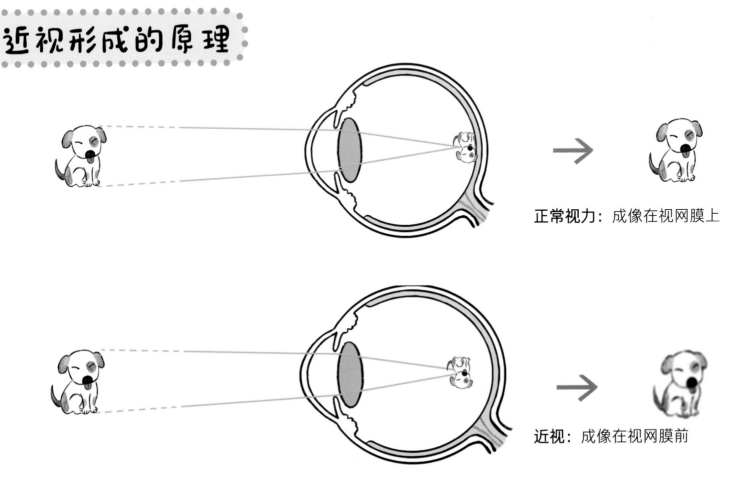

正常视力：成像在视网膜上

近视：成像在视网膜前

给家长的话

近年来，我国儿童近视的问题比较突出，需要引起家长及孩子的广泛注意。近视形成的原因有很多，如不科学地使用电子产品，看书或写字时姿势不当，过量食用甜食，不注重户外运动等。

目前，根据世界上权威医学专家的共识，青少年预防近视的三大妙招是：①沐浴阳光，特别是学龄前的儿童，需要保证每天两个小时的户外活动时间；②少吃甜食，如蛋糕、饮料、巧克力等；③多做球类运动。

但如果孩子真的近视了，那就是不可逆的，需要家长带孩子到正规医院进行检查，验光后配戴框架眼镜，眼镜的度数一定要配足，并每天坚持戴着。此外，也可以配戴角膜塑形镜。研究表明，塑形镜可以有效控制近视度数的加深。孩子年满18周岁后，还可以进行角膜屈光手术，矫正近视。

医学顾问：张霞（眼科医生，医学硕士）